CAMPUS

CURSO DE ESPAÑOL

B1

COMPLEMENTO
DE COMPRENSIÓN
AUDITIVA

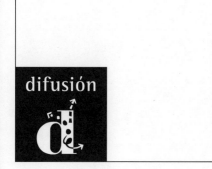

difusión

CRÉDITOS

Marta Nogueroles López
UNIVERSIDAD NEBRIJA

Daniel Miguel Fuentes
UNIVERSIDAD NEBRIJA

Revisión pedagógica
Agustín Garmendia

Coordinación editorial y redacción
Sara Zucconi

Diseño y maquetación
Sara Zucconi, Laurianne Lopez

Corrección
Pablo Sánchez García

Fotografías
unidad 1 SensorSpot/iStock, ajr_images/iStock; **unidad 2** exdez/iStock; **unidad 4** MaxRiesgo/iStock, Mixmike/iStock, Portra/iStock, ballero/iStock; **unidad 5** rudall30/iStock; **unidad 7** culturacolectiva.com, maxresdefault_carrera_esposa, mmeee/iStock, 5c0b50f89c/Flickr; **unidad 8** m-imagephotography/iStock, m-imagephotography/iStock, SanneBerg/iStock, Ryzhi/iStock.

© Los autores y Difusión, S. L. Barcelona 2019
ISBN: 978-84-17260-98-9

Impreso en España por IMPRENTA MUNDO

FSC
www.fsc.org
MIXTO
Papel procedente de
fuentes responsables
FSC® C125125

difusión
Centro de
Investigación y
Publicaciones
de Idiomas, S. L.

C/ Trafalgar, 10, entlo. 1ª
08010 Barcelona
Tel. (+34) 93 268 03 00
Fax (+34) 93 310 33 40
editorial@difusion.com

www.difusion.com

ÍNDICE

B1

Anexos

→ P. 16, ACTIVIDAD 6

A. ¿Cuáles son los aspectos negativos de las nuevas tecnologías? En parejas, buscad ejemplos de esos aspectos negativos en los siguientes ámbitos.

1. ☐ consumo   **4.** ☐ redes sociales
2. ☐ salud   **5.** ☐ seguridad
3. ☐ educación

B. En el programa de radio que vas a escuchar, se emiten noticas relacionadas con las nuevas
🔊 tecnologías. Escúchalas y relaciona cada noticia con el tema del que habla.
1

| noticia 1 | noticia 2 | noticia 3 | noticia 4 | noticia 5 |

1. consumo   **4.** redes sociales
2. salud   **5.** seguridad
3. educación

C. Escucha de nuevo las noticias y crea un titular para cada una.
🔊
1

	TITULAR DE LA NOTICIA
noticia 1	....
noticia 2	....
noticia 3	....
noticia 4	....
noticia 5	....

D. En parejas, compartid vuestras propuestas.

→ P. 19, ACTIVIDAD 12

A. Una revista universitaria está preparando un monográfico. En grupos, haced una lista de temas vinculados con la universidad que os parecen interesantes.

B. El equipo de redacción de la revista está decidiendo el tema del monográfico.
🔊 Escucha su conversación y anota qué temas proponen.
2

Tema 1	....
Tema 2	....
Tema 3	....
Tema 4	....

C. Escucha de nuevo el audio y toma notas de las opiniones y afirmaciones
🔊 que te parecen más importantes. ¿Hay algo que te sorprenda?
2

Tema 1	....
Tema 2	....
Tema 3	....
Tema 4	....

D. Ahora, en parejas, decidid cuál de los temas propuestos os parece
más interesante para un monográfico.

→ P. 24, ACTIVIDAD 5

A. Dos compañeros de la universidad hablan de un trabajo que tienen que hacer.
🔊 ¿Qué tipo de actitud tiene cada uno? Escucha la conversación y combina
3 estas palabras con Elisa o Nico. Justifica tus respuestas.

 ESTRATEGIAS -

> Recuerda que cuando se pide una escucha general, no tienes que
> entenderlo todo. La entonación y el tono de voz de los hablantes te
> pueden ayudar en la interpretación, además de las palabras clave.

| constructiva | destructiva | preocupada |

| egoísta | generosa | responsable | irresponsable |

Elisa tiene una actitud...

....

....

....

Nico tiene una actitud...

....

....

....

B. Escucha el audio de nuevo y decide qué frases describen mejor a Nico (N)
🔊 y qué frases describen mejor a Elisa (E).
3

1. Tiene constancia. ....

2. Le falta constancia. ....

3. Tiene pleno control sobre su tiempo. ....

4. No tiene control sobre su tiempo. ....

5. No planifica bien sus objetivos. ....

6. Planifica bien sus objetivos. ....

7. Organiza su trabajo de acuerdo
a sus prioridades. ....

8. Sabe distinguir lo importante
de lo urgente. ....

9. No distingue lo importante
de lo urgente. ....

10. No planifica para evitar imprevistos. ....

11. Evita hacer el trabajo de otros. ....

12. Cuenta con suficiente tiempo
para su ocio. ....

C. Escucha de nuevo el audio con la transcripción y justifica tus elecciones
🔊 de B con fragmentos de las intervenciones.
3

D. Ahora, compara tus respuestas con un/a compañero/a y autoevalúa tu comprensión.

¿Estoy satisfecho de mi comprensión?

☐ Muy poco   ☐ Poco   ☐ Más o menos   ☐ Bastante   ☐ Totalmente

La entonación y tono de voz de los hablantes me han ayudado a mi comprensión del audio.

| 10% | 20% | 30% | 40% | 50% | 60% | 70% | 80% | 90% | 100% |

He entendido la actitud general de Nico y Elisa.

| 10% | 20% | 30% | 40% | 50% | 60% | 70% | 80% | 90% | 100% |

He entendido las razones de la actitud de Nico y Elisa.

☐ Muy poco   ☐ Poco   ☐ Más o menos   ☐ Bastante   ☐ Totalmente

Me ha resultado fácil elegir las características que mejor definen a Nico.

| 10% | 20% | 30% | 40% | 50% | 60% | 70% | 80% | 90% | 100% |

Me ha resultado fácil elegir las características que mejor definen a Elisa.

| 10% | 20% | 30% | 40% | 50% | 60% | 70% | 80% | 90% | 100% |

¿Qué porcentaje de la información he entendido antes de tener la transcripción?

10%	20%	30%	40%	50%	60%	70%	80%	90%	100%

¿Qué dificultades he tenido?

☐ Hablan muy rápido.

☐ No entiendo muchas palabras.

☐ Otras dificultades: ....

☐ El audio es muy largo.

☐ Cuando no entiendo, me desconcentro.

→ P. 27, ACTIVIDAD 7

A. Vas a escuchar un reportaje sobre una serie de aplicaciones para móvil desarrolladas por alumnos de una universidad española. Antes de escucharlo, responded en parejas a estas preguntas.

1. ¿Qué es un reportaje? ¿Cuál es la diferencia con una noticia?

....

2. Aquí tienes el nombre de tres aplicaciones sobre las que informa el reportaje. ¿Cuál crees que puede ser su finalidad?

Recíclame y recíclate	....
Camino seguro al cole	....
Mapa verde de Madrid	....

B. Ahora escucha el audio y define con tus palabras para qué sirve cada aplicación.
🔊 Puedes escuchar más de una vez si quieres.
4

Recíclame y recíclate	....
Camino seguro al cole	....
Mapa verde de Madrid	....

C. Ahora, en parejas, comparad vuestras respuestas.

→ P. 40, ACTIVIDAD 6

A. En un programa de radio han lanzado la pregunta "¿Yo sumo o consumo?".
¿De qué crees que trata el programa?

Yo creo que seguramente varias personas van a hablar sobre...

x

ESTRATEGIAS

Es importante pensar sobre qué tema o asunto puede tratar un audio antes de iniciar la escucha.

B. Ahora, escucha a cuatro personas que nos hablan de sus hábitos de consumo y completa los cuadros.

PERSONA		Sí	No
1	**a.** ¿Crees que su actitud como consumidor es responsable?	☐	☐
	b. Expresa un deseo sobre su forma de actuar: *Ojalá la gente como esta persona...*		
2	**a.** ¿Crees que su actitud como consumidor es responsable?	☐	☐
	b. Expresa un deseo sobre su forma de actuar: *Espero que...*		
3	**a.** ¿Crees que su actitud como consumidor es responsable?	☐	☐
	b. Expresa un deseo sobre su forma de actuar: *Ojalá...*		
4	**a.** ¿Crees que su actitud como consumidor es responsable?	☐	☐
	b. Expresa un deseo sobre su forma de actuar: *Espero que...*		

C. En parejas, comprobad si pensáis lo mismo.

D. Ahora buscad páginas web en español para incentivar el consumo responsable y recomendad una a cada persona del audio teniendo en cuenta sus hábitos. Podéis usar las siguientes palabras clave para las búsquedas. Escuchad de nuevo el audio si lo necesitáis.

alargascencia · contra la obsolescencia · reducir los residuos · comercio justo · el día mundial sin auto

PERSONA	PÁGINA WEB EN ESPAÑOL
1	
2	
3	
4	

→ P. 45, ACTIVIDAD 16

A. En el programa de televisión *La vida en directo* entrevistan a una persona que se dedica a reciclar cosas olvidadas en aeropuertos. ¿Cómo crees que alguien se puede ganar la vida así? En grupos, escribid qué ideas se os ocurren.

B. Escucha el audio. Usa las palabras de cada fila del cuadro para resumir lo que escuchas.

6

> ⚙ **ESTRATEGIAS** -
>
> Puedes usar tu lengua para recoger la información que se pide.
> Después, usa el español para elaborar las respuestas de la actividad.

LA VIDA EN DIRECTO **RAFA** **NEGOCIO**	*La vida en directo es un programa de televisión en el que entrevistan a Rafa para conocer su negocio.*
RAFA **PERSONAS** **OBJETOS** **EXTRAVIADOS**	
AEROPUERTOS **OBJETOS PERDIDOS** **LOTES**	
LOTES **SUBASTA** **COMPRAR**	
COMPRAR **LOTES** **VENDER** **TIENDA**	
MALETA **ROPA** **OBJETO RARO** **ENCONTRAR** **PAELLERA**	

C. Ahora, en parejas, preparaos y recread la entrevista a Rafa delante de la clase.
🔊 Podéis escuchar el audio de nuevo.
6

→ P. 52, ACTIVIDAD 6

A. Escucha a cuatro personas que comparten sus opiniones sobre
🔊 la publicidad corporal y toma notas de las palabras clave.
7

1

Carlota
Zaragoza

....
....
....
....

3

Tomás
Ciudad Real

....
....
....
....

2

Héctor
Cádiz

....
....
....
....

4

Ada
Barcelona

....
....
....
....

B. Ahora, en parejas, decidid qué frase resume mejor la opinión de cada persona.
Podéis escuchar el audio de nuevo.

1. No me parece bien que se utilice solo gente atractiva en la publicidad. ....

2. Es cierto que los testimonios influyen en el éxito de una campaña publicitaria. ....

3. Creo que, atractivo o no, el cuerpo humano es una buena herramienta para el *marketing*. .....

4. Me parece increíble que los publicistas utilicen personas-anuncio. ....

→ P. 54, ACTIVIDAD 11

A. Cuatro personas hablan de sus hábitos a la hora de comprar.
🔊 Escucha las conversaciones y relaciona cada afirmación con la persona que habla.
8

| Conversación 1 | Conversación 2 | Conversación 3 | Conversación 4 |

1. Prefiere ir a comprar con alguien. ....

2. Compra sobre todo por internet. ....

3. Compra por impulso. ....

4. Compara precios y características. ....

B. Escucha de nuevo, toma notas de las palabras clave y decide con qué
🔊 afirmaciones te identificas más.
8

Yo también soy bastante inseguro con la ropa...

C. En parejas, escribid una lista de normas para que tu compra sea un desastre.
Después, grabad un vídeo con vuestras recomendaciones y enseñádselo a la clase.
¿Quién tiene la propuesta más divertida?

Si dudas entre dos productos, compra siempre el más caro, seguro que es el mejor.

→ P. 61, ACTIVIDAD 5

A. Escucha la primera parte del audio (hasta la sintonía del programa) y explica
🔊 brevemente en qué va a consistir lo que escucharás después.
9

Vamos a escuchar un...

B. Ahora escucha las preguntas. Contesta con la opción que te parezca correcta.
🔊
9

Pregunta 1	....
Pregunta 2	....
Pregunta 3	....
Pregunta 4	....
Pregunta 5	....
Pregunta 6	....
Pregunta 7	....
Pregunta 8	....

C. En parejas, comparad vuestras respuestas. ¿Estáis de acuerdo?
🔊 Si es necesario, escuchad de nuevo las preguntas.
9

D. Investigad en internet para encontrar las respuestas. ¿Hay algún dato que os sorprenda?

E. En grupos, preparad ocho preguntas sobre un país o un continente
que os interese y haced un concurso en clase.

→ P. 67, ACTIVIDAD 14

A. TED es una plataforma en la que personajes relevantes de todo el mundo dan charlas sobre temas muy diversos. Estos son los títulos de dos de esas charlas.
¿De qué crees que van a tratar? Habla con tu compañero.

Para entender el autismo, no quites la mirada

Por qué los periodistas tienen la obligación de desafiar el poder

B. Lee los títulos de las dos charlas e intenta prever cuáles serán las palabras clave
 del inicio de cada una. Luego escucha el audio y toma notas de lo que entiendes.
10

⚙️ **ESTRATEGIAS** --

> Puedes usar tu lengua para recoger la información que se pide.
> Después, usa el español para elaborar las respuestas de la actividad.

CHARLA	PALABRAS CLAVE
Para entender el autismo, no quites la mirada **Carina Morillo**	
Por qué los periodistas tienen la obligación de desafiar el poder **Jorge Ramos**	

C. Vamos a escuchar los audios de nuevo. Pero antes, lee las palabras clave
 que te proponemos.
10

CHARLA	PALABRAS CLAVE
Para entender el autismo, no quites la mirada Carina Morillo	Entrenadora de miradas, mamá, Iván, autismo, diagnóstico, dolor, intuición, mirar a los ojos, puente roto, cosas que le gustaban, jugar, estar vivo
Por qué los periodistas tienen la obligación de desafiar el poder Jorge Ramos	Periodista, inmigrante, México, EE. UU., neutralidad, miedo, responsabilidad, desafiar a los poderosos, objetividad, qué es cierto, vida compleja

⚙ **ESTRATEGIAS** -

Ver vídeos de temas interesantes, como las charlas de TED, puede
ser una manera fantástica de entrenar tu comprensión audiovisual.
Algunos consejos:
a. Antes de escuchar, piensa en el tema que se va a tratar.
b. Lee la información sobre la persona que va a hablar.
c. Piensa y escribe algunas palabras clave que se te ocurran.
d. Escucha una primera vez sin los subtítulos.
e. Escucha una segunda vez leyendo los subtítulos.

D. Ahora, autoevalúa tu comprensión.

¿Me ha ayudado reflexionar sobre el tema del audio antes de escucharlo?

☐ Muy poco ☐ Poco ☐ Más o menos ☐ Bastante ☐ Mucho

¿Me ha ayudado pensar en las palabras clave de cada tema antes de escucharlo?

☐ Muy poco ☐ Poco ☐ Más o menos ☐ Bastante ☐ Mucho

¿Me ha ayudado tener las palabras clave de cada tema antes de escucharlo?

☐ Muy poco ☐ Poco ☐ Más o menos ☐ Bastante ☐ Mucho

→ P. 72, ACTIVIDAD 4

A. Vas a escuchar el inicio del programa de radio *Red paranormal*, dedicado a fenómenos
🔊 extraños y paranormales. Toma notas de las dos historias de las que se habla.
11

NOTICIA	
1	....
2	....

B. Piensa en las dos historias que se han presentado. ¿Crees que son reales o imaginarias?
🔊 ¿O tal vez tienen elementos reales y partes imaginarias?
11 Vuelve a escuchar el audio si lo necesitas.

C. Ahora lee estos fragmentos de textos encontrados en la red sobre los dos asuntos.
¿Entiendes ahora qué partes son reales y qué partes son falsas? Comentadlo en parejas.

TEXTO 1

El mito (de Slendreman), ya de por sí retorcido, tomó un giro tétrico el 31 de mayo de 2014. Morgen Geyser y Annisa Weier, dos niñas de 12 años residentes en Waukesha (Wisconsin), se conocen e intiman cuando comienza el curso. Crean una amistad muy especial, ya que Annisa no es muy popular y no tiene amigos, y Morgen tampoco cuenta con muchas amistades, excepto la de Payton Leutner (...).

Las amigas deciden asesinar a la otra niña aprovechando el barullo del cumpleaños de Morgen, ya que las tres van a dormir en la misma casa para hacer una fiesta de pijamas. Van a un parque que tiene una zona boscosa cercana y, con la excusa de que van a jugar al escondite, la llevan a la zona más profunda y allí le asestan 19 puñaladas con un cuchillo de cocina. Las autoras dejan en estado agonizante a la víctima y se escapan del lugar del crimen. Payton se arrastra hasta una carretera cercana donde es recogida por un ciclista al que narra los hechos y es trasladada a un hospital, donde le salvan la vida (...).

Morgen y Annisa intentaron matar a Payton Leutner para honrar a Slenderman y convertirse en sus sirvientas, en una especie de agentes del mito que, según sus seguidores, se encargan de hacerle el trabajo sucio. Ambas confiesan los hechos a la Policía sin guardarse nada, contando todo con inocencia infantil.

Adaptado de La aterradora historia (real) de Slenderman de la que todos hablan pero pocos se atreven a ver, El País

TEXTO 2

Cerca de 1981 apareció un misterioso videojuego en los suburbios de Portland, Estados Unidos. O eso decían. También decían que el juego era una cosa extraña. Para empezar, su mecánica era muy curiosa: el jugador controlaba una nave que disparaba a distintos enemigos, pero estos se desplazaban alrededor de la nave, que permanecía fija. Como tenía muchos efectos y gráficos de colores vivos, pronto se convirtió en el favorito de jóvenes aficionados a esta clase de entretenimiento.

Los jugadores hacían fila para poder acceder a las máquinas. Rápidamente, comenzaron a darse cuenta de que el juego estaba lleno de mensajes subliminales. No solo eso, además enseguida te volvías adicto. Los mensajes instaban en algunos casos al conformismo y a destruir la creatividad de los usuarios con frases como: *No imagination* "sin imaginación", *No thought* "sin pensamiento", *Conform* "confórmate", *Honor apathy* "honra la apatía", *Do not question authority* "no cuestiones a la autoridad" y, en otros, guardaban un mensaje aún más siniestro: *Kill yourself* "mátate" y *Surrender* "ríndete". Su nombre: Polybius.

Además, provocaba otros síntomas perturbadores, como tics nerviosos, vómitos, mareos, alucinaciones auditivas y ópticas (hay quienes dicen que estas se producían mientras se jugaba y que por el rabillo del ojo podían verse rostros fantasmales), ataques epilépticos y terrores nocturnos.

Adaptado de Polybius, la verdad sobre el videojuego maldito, factorelbog.com

D. ¿Conoces leyendas urbanas? ¿En qué consisten?
¿Mezclan elementos reales con partes inventadas? Comentadlo en grupos.

→ P. 75, ACTIVIDAD 8

A. ¿Te gustaría trabajar desde casa? En parejas, pensad en aspectos positivos y negativos del teletrabajo y haced dos listas.

B. Ahora escucha a dos amigos que hablan sobre el teletrabajo.
🔊 Marca en tus listas los aspectos en los que coincidís.
12

C. Ahora escucha el audio en el que hablan otros dos amigos y haz lo mismo.
🔊
13

D. Escucha de nuevo los dos audios y marca quién trabaja desde casa y quién no.
🔊
12
Y
13

	Marisa	Marcos
AUDIO 1	☐	☐

	Yolanda	Héctor
AUDIO 2	☐	☐

⚙️ **ESTRATEGIAS**

Cuando lo que vamos a escuchar trata sobre un tema determinado, puede ser útil pensar en aspectos relacionados con ese tema antes de iniciar la escucha. Una opción es reflexionar sobre los pros y contras de la cuestión.

E. Lee estas afirmaciones y escucha de nuevo los dos audios: ¿quién las dice?

🔊 12 Y 13

	Marisa	Marcos	Yolanda	Héctor
1. El transporte público es malo para la salud.	☐	☐	☐	☐
2. El teletrabajo favorece su vida familiar.	☐	☐	☐	☐
3. Le gusta trabajar con gente.	☐	☐	☐	☐
4. No se considera preparado/a para trabajar desde casa.	☐	☐	☐	☐
5. Cree que se trabaja más cuando se hace desde casa.	☐	☐	☐	☐
6. En el transporte público se puede aprovechar el tiempo.	☐	☐	☐	☐
7. Trabajar solo te ahorra lidiar con malos compañeros.	☐	☐	☐	☐
8. Con el teletrabajo puedes trabajar desde cualquier sitio.	☐	☐	☐	☐

F. En parejas, elaborad una lista de trabajos que se pueden hacer desde casa. Después poned vuestra lista en común con la clase. ¿Estáis todos de acuerdo?

→ P. 81, ACTIVIDAD 3

A. Mira estas fotos de festivales o fiestas polémicas. ¿Los conoces? ¿De qué crees que tratan? ¿Crees que son cultura? Discutidlo en parejas.

Festival del Gato o Miaustura (Perú)

Encierros de San Fermín (España)

Campeonato de Transporte de Esposas (Finlandia)

Thaipusam (Malasia)

B. Ahora escucha la descripción de cada una de estas fiestas y festivales.
🔊 Escribe las palabras clave para hablar de ellas.
14

	PALABRAS CLAVE
Festival del Gato o Miaustura	....
Encierros de San Fermín	....
Campeonato de Transporte de Esposas	....
Thaipusam	....

C. Ahora vas a escuchar la opinión de cuatro personas sobre estas fiestas.
🔊 Resume lo que dicen en una frase.
15

Festival del Gato o Miaustura	....
Encierros de San Fermín	....
Campeonato de Transporte de Esposas	....
Thaipusam	....

D. Escucha de nuevo los audios. Piensa por qué estás de acuerdo o no
🔊 con esas personas. Escribe palabras, ideas o frases (en tu idioma, si lo prefieres).
15 Después comentadlo en parejas.

E. ¿Existen en tu país festivales o fiestas polémicas?
Busca información sobre una de ellas, graba en tu casa un vídeo (o un audio)
con su descripción y tu opinión, y preséntalo a la clase.

F.   Ahora, autoevalúa tu comprensión.

¿Crees que ayuda a entender mejor el español grabar vídeos o audios en casa?

☐ Muy poco   ☐ Poco   ☐ Más o menos   ☐ Bastante   ☐ Mucho

¿Crees que es útil ver vídeos o escuchar audios de tus compañeros para entender mejor el español?

☐ Muy poco   ☐ Poco   ☐ Más o menos   ☐ Bastante   ☐ Mucho

→ P. 86, ACTIVIDAD 9

A.   Hoy vamos a hablar de los sentidos y de los recuerdos.
Primero, completad las siguientes informaciones.

Un recuerdo de mi niñez que asocio...
1. al tacto:
2. al gusto:
3. al olfato:
4. al oído:
5. a la vista:

B.   Ahora, en parejas, comentad cuáles son vuestros recuerdos
y por qué creéis que los habéis guardado.

C.   Una neurocientífica está haciendo un estudio sobre cómo relacionamos nuestros
🔊 sentidos con ciertos objetos y conceptos. Escucha sus preguntas y responde.
16

Pregunta 1	
Pregunta 2	
Pregunta 3	
Pregunta 4	
Pregunta 5	
Pregunta 6	
Pregunta 7	
Pregunta 8	
Pregunta 9	
Pregunta 10	

D.   En parejas, comprobad si habéis entendido todas las preguntas.

E.   Ahora, lee la transcripción para comprobar tu comprensión.
Luego, en parejas, comentad vuestras respuestas.

→ P. 95, ACTIVIDAD 8

A. Lee los siguientes consejos para resolver problemas y dificultades en el aprendizaje del español. ¿Cuáles podrías aplicarte a ti mismo? ¿Por qué?

> Te aconsejo:
>
> Preparar lo que vas a decir antes de hablar.
> Organizar mejor tu tiempo.
> No obsesionarte con la gramática.
> Estudiar más gramática.
> Usar tarjetas para recordar el vocabulario.
> Unirte a una comunidad de habla hispana.
> Hacer intercambios con estudiantes hispanohablantes.
> Comparar el español con tu lengua.
> Leer en español.
> Traducir todas las palabras.
> Pedir ayuda a tu profesor/a. Te puede recomendar algún libro sobre las cuestiones que te preocupan.
> Hablar delante de un espejo para ver los movimientos de tu boca al pronunciar.
> Hacer ejercicios de relajación y respiración antes de ir a la universidad.
> Hablar despacio.
> Ver películas con subtítulos en español.
> Estudiar con un/a amigo/a.

B. Vas a oír los testimonios de algunos estudiantes sobre sus problemas con el español.
🔊 Escúchalos y escribe en qué consiste el problema de cada uno.
17

Jana

....
....
....

Simon

....
....
....

Emma

....
....
....

C. ¿Cuál o cuáles de los consejos del punto A crees que son más adecuados
para Jana, Simon y Emma?

D. Ahora escucha de nuevo el audio con la transcripción. Responde a las siguientes
🔊 preguntas; luego, en parejas, comentad vuestras respuestas.
17

1. Después de leer la transcripción, ¿crees que todos los consejos que diste eran adecuados?
¿Cuáles no?
2. ¿Hay consejos que pueden aplicarse a más de un estudiante del audio?
3. ¿Hay algún consejo de A que consideras que no es útil en ningún caso? ¿Cuál o cuáles?
¿Por qué?

→ P. 97, ACTIVIDAD 10

A. Lee los siguientes titulares de noticias. ¿De qué crees que trata cada uno?
Escribe cinco o seis palabras clave sobre cada noticia; luego comparte tus respuestas
con un compañero.

TITULAR A

IMPRESORAS 3D:
EL FUTURO DE LAS AULAS

TITULAR B

REALIDAD VIRTUAL:
nueva terapia para las enfermedades mentales

TITULAR C

¿Aumentar las capacidades intelectuales a través de los videojuegos?

B. El programa de radio *Vaya mañanita* informa sobre las noticias de los titulares
🔊 que acabamos de ver. Escúchalo y relaciona cada noticia con su titular.
18

1. Noticia 1
2. Noticia 2
3. Noticia 3

A. Titular A
B. Titular B
C. Titular C

C. Escucha el programa de nuevo. Usando los titulares y las palabras clave
🔊 que has entendido, escribe un resumen de cada noticia.
18

¿Aumentar las capacidades intelectuales a través de los videojuegos?

Realidad virtual: nueva terapia para las enfermedades mentales

Impresoras 3D: el futuro de las aulas

D. ¿Qué piensas de las tres noticias? Comentadlo en grupos.

UNIDAD 1

1

Locutora: Buenos días, amigos oyentes y bienvenidos a *Vaya mañanita*. Hoy vamos a hablar del lado menos amable de las nuevas tecnologías. Parece que todo es bueno cuando hablamos de las nuevas tecnologías, pero no. Vamos a escuchar algunas noticias preocupantes sobre los avances tecnológicos y su aplicación a diferentes campos.

Hombre: Las nuevas impresoras 3D, las impresoras en tres dimensiones, están provocando que sea muy fácil imprimir drones de una forma barata. Esa es la razón por la cual este fin de semana, el aeropuerto de Gatwick, en Londres, estuvo cerrado durante varias horas, debido al vuelo descontrolado de varios de estos drones.

Locutora: La inteligencia artificial cambiará la educación y la manera de aprender de nuestros hijos y nietos. Varios expertos y científicos han advertido que, en pocos años, los robots serán los nuevos profesores de los estudiantes del futuro.

Hombre: Cada vez más personas presentan *tecnoestrés*. El *tecnoestrés* es un estado psicológico negativo ocasionado por el uso excesivo de las tecnologías de la información. Este *tecnoestrés* puede provocar dolores de cabeza, molestias musculares, fatiga, aislamiento y conductas agresivas.

Locutora: Denuncian la práctica conocida como obsolescencia programada. Los fabricantes de ordenadores y otros materiales informáticos limitan deliberadamente la vida útil de sus productos para mantener la demanda estable y así tener más beneficios económicos. Según parece, esto lleva años practicándose de forma velada por parte de la mayoría de las empresas del sector.

Hombre: El acoso o *bullying* en las escuelas ya ha sido superado por el acoso en las redes sociales, el llamado *cyberbullying*. Según expertos, este tipo de acoso es peor que otros tipos debido a que es difícil evitarlo y puede alcanzar a cualquier persona, sin importar dónde está o qué está haciendo.

Locutora: Pues ya ven, amigos, no todo lo relacionado con las nuevas tecnologías es progreso. Ahora vamos a repasar otras noticias de la actualidad.

2

A: Bueno, chicos, para este número de la revista vamos a hacer un monográfico sobre un tema que nos parezca de especial importancia. ¿De qué temas creéis que podemos hablar?

B: Yo creo que una buena idea sería hablar de cómo nos prepara la universidad para el mercado laboral. Creo que la universidad no nos informa suficientemente bien a los estudiantes sobre nuestro futuro laboral y las salidas profesionales cuando terminamos los estudios.

A: ¿Y cómo tratamos el tema?

B: Creo que tenemos que hablar de la relación de la universidad con las empresas privadas y pedir que esa relación sea cada vez más profunda, ¿no?

A: Muy bien, buena idea. A ver, ¿qué más se os ocurre?

C: En mi opinión, deberíamos hacer un número más centrado en el día a día de la universidad. Quizás deberíamos enfocarnos en cómo se relacionan nuestros estudiantes entre ellos y cómo ven la universidad como una experiencia de vida.

A: ¿Puedes concretar más?

C: Sí, claro. Me refiero a la vida dentro de la universidad. Por ejemplo, qué hacemos para divertirnos y para conocer a gente. Yo creo que la forma de divertirse de muchos estudiantes no es muy sana en muchos casos. Las fiestas locas con alcohol dentro de la universidad es algo que vemos todas las semanas.

A: Muy bien. Más ideas.

D: A mí me parece muy bien lo de hablar de la vida universitaria, del trabajo y todo eso, pero yo creo que esta revista debe denunciar aquellos asuntos que no están bien dentro de la universidad.

A: ¿A qué te refieres?

D: Pues en concreto me refiero, sobre todo, a la diferencia entre hombres y mujeres que existe dentro de esta universidad. Deberíamos hacer un estudio profundo y analizar realmente si existe igualdad de oportunidades para hombres y mujeres dentro de la universidad.

A: ¿Por ejemplo?

D: Por ejemplo, algunas estudiantes mujeres denuncian que han sufrido comportamientos machistas por parte de sus propios compañeros.

A: Eso es muy grave.

D: Y no solo eso. Algunas chicas denuncian también que es más difícil acceder a una beca o a prácticas en una empresa si eres mujer.

A: Bueno, estaría muy bien investigar sobre eso, sí. ¿Alguna idea más?

E: Yo tengo una idea un poco diferente. Me parece que sería una buena idea orientar nuestro monográfico a hablar de los estudiantes que vienen de fuera.

A: Quieres decir, a los estudiantes extranjeros.

E: Sí. Cada vez tenemos más estudiantes que vienen de todas partes. Podemos hacer un monográfico sobre cómo se sienten estudiando aquí. Hay algunos estudiantes que dicen que es muy difícil relacionarse con alumnos locales.

A: Claro, la lengua siempre es una barrera.

E: Sí, puede ser. Pero sobre todo deberíamos tener una universidad abierta al mundo. A lo mejor, usando el tema de los estudiantes extranjeros, podemos hablar de todos los temas que hemos propuesto antes.

A: ¡Ah! Pues eso puede ser una buena solución. Así podemos hablar de varios temas teniendo uno en común, que serían los estudiantes que vienen de otro país. Muy bien, muy bien.

UNIDAD 2

3

Elisa: A ver, Nico. ¿Ya terminaste tu parte del trabajo de Economía?

Nico: ¡Ay, Elisa! Verás, el fin de semana me puse a hacerlo, pero surgió algo.

Elisa: ¿Qué surgió?

Nico: Vinieron unos familiares de visita. Me avisaron la semana pasada, pero se me olvidó. Y claro, cuando llegaron, dije: "¡Ay! No podré hacer el trabajo".

Elisa: Pero, Nico. El trabajo hay que entregarlo el jueves y hoy es martes.

Nico: Lo siento, lo siento.

Elisa: ¡Pero cómo te olvidás de una visita! Bueno, aún tenemos tiempo. Podés hacer tu parte hoy y mañana miércoles nos juntamos y lo ponemos en común.

Nico: ¡Uy!, es que ahora no puedo. Tengo que estudiar para el examen de mañana.

Elisa: ¿Qué examen? ¿El de Administración de Empresas?

Nico: Sí, sí. Es que no estudié mucho.

Elisa: Pero, Nico. Este examen sabés que lo tenés hace más de un mes.

Nico: Ya, ya. Es que no me organizo bien. Siempre surgen cosas cuando voy a estudiar.

Elisa: Todos tenemos exámenes, Nico, y cosas que nos surgen cada día. Pero tenés que saber cuál es la prioridad en cada momento.

Nico: Lo sé, lo sé. Yo intento organizar mi tiempo para estudiar. Los primeros días sigo mi planificación bien, pero después empiezo a perder el tiempo sin darme cuenta.

Elisa: Eso es porque te falta actitud. Tenés que ser firme y seguir tu plan día a día. Y ahora, ¿cómo hacemos con el trabajo?

Nico: Mira. Sé que es pedir mucho. Pero si me ayudás con mi parte, solo esta vez., te prometo que no vuelve a pasar.

Elisa: ¡Ah, no! Eso sí que no. Yo no voy a hacer tu parte del trabajo. Si no sabés organizarte es tu problema. Yo tengo una agenda donde apunto mis planes cada semana. Hacé como yo.

Nico: ¿Y qué hago? Ahora mi prioridad es el examen.

Elisa: No sé. Yo no voy a solucionar tus errores. Yo estudié para el examen e hice mi parte del trabajo. Esta tarde me voy al cine con mi novio. Yo he hecho las cosas bien y tengo derecho a relajarme un poco.

Nico: No sé qué hacer. Ayudáme, por favor.

Elisa: Mira. Estudia hoy para el examen. Mañana, al terminar el examen, dedicás todo el día a hacer tu parte del trabajo. Y después, después de cenar, quedamos en la biblioteca y ponemos en común el trabajo. ¿Qué te parece?

Nico: Buena idea. Muchas gracias, Elisa. Vos sí que sabés organizar las cosas.

Elisa: Dale, pero empezá ya, que no te va a dar tiempo.

4

Locutora: Buenos días, amigos oyentes, y bienvenidos una semana más a *Vaya Mañanita*. Hoy vamos a tratar de nuevo el tema de las nuevas tecnologías. Para este programa, hemos preparado un reportaje muy interesante relacionado con los alumnos de la Facultad de Informática de la Universidad Complutense de Madrid. Vamos a escucharlo.

Hombre: Aplicaciones para reciclar correctamente que ayudan a localizar puntos de reciclaje, aplicaciones para promover los viajes a pie para los escolares, aplicaciones para encontrar gasolineras y puntos de carga de automóviles, motos y bicicletas eléctricas, aplicaciones que proponen visitas guiadas al parque del Retiro…. Estas son algunas de las aplicaciones para móviles relacionadas con el medioambiente que han creado alumnos de la Facultad de Informática de la Universidad Complutense de Madrid como parte de sus proyectos de fin de carrera y que han presentado en el ayuntamiento de la capital.

Con el nombre de *Recíclame y Recíclate* se ha presentado una aplicación para aprender a reciclar. Gracias a esta *app*, los usuarios pueden leer el código de barras de cualquier producto con la cámara de su móvil y, si ese producto está en una lista, la aplicación indica en qué contenedor se debe depositar. La aplicación indica, de manera muy sencilla, mediante texto e imágenes, en qué tipo de contenedor se debe depositar cada residuo.

Camino seguro al cole es una aplicación destinada a los padres de niños de entre 4 y 10 años. Está pensada para ayudar a los padres a ir paseando con sus hijos a la escuela y permite escoger el mejor recorrido y el más tranquilo, con menos tráfico y cruzando menos carreteras.

Otra de las aplicaciones, *Mapa verde de Madrid*, muestra en un plano parques y jardines, puntos de reciclaje, puntos de recarga de vehículos eléctricos y de suministro de combustibles ecológicos, rutas para bicicleta... La *app* ofrece información sobre los horarios de todos estos lugares y la posibilidad de localizar los más cercanos según la posición del móvil o de un punto determinado.

Estas son algunas de las ideas que han desarrollado...

UNIDAD 3

5

AUDIO 1
La verdad es que yo nunca miro las etiquetas de los productos que compro. Tampoco me fijo en el origen. Normalmente solo me fijo en el precio y en si ese producto me apetece en ese momento o no.

AUDIO 2
Yo siempre intento comprar productos que no tengan envases de plástico y, si lo tienen, que sea un envase que después voy a poder reutilizar. Creo que contaminamos el planeta innecesariamente con tanto envase de plástico. Me gustaría saber más maneras de reutilizar y reciclar.

AUDIO 3
Yo soy muy maniático con los lugares donde hago mis compras. Por ejemplo, siempre me gusta comprar los productos de limpieza en una determinada cadena de supermercados. Así que para comprarlos, siempre agarro el auto. No me importa tener que recorrer dos o tres kilómetros porque a mí me gusta ese supermercado en concreto. Y, en cambio, la carne, siempre la compro argentina: conozco un importador y siempre compro piezas grandes congeladas y tengo en casa carne para 4 o 5 meses.

AUDIO 4
Con esto de la obsolescencia programada, los aparatos electrónicos se estropean cada vez más deprisa y además todo el mundo dice que cuesta más repararlos que comprar uno nuevo. Así que yo no me lo pienso. Compro aparatos electrónicos baratos o que están en oferta. Cuando se averían, los tiro y me compro uno nuevo. Ya está.

6

Locutor: Hoy en *La vida en directo* vamos a hablar con Rafa, una persona que tiene un negocio de lo más peculiar. Vamos a ver... ahí está Rafa. ¡Rafa! ¿Qué haces allí arriba abriendo bolsas de ropa?
Rafa: Pues mira, me he traído estas bolsas del aeropuerto de Ámsterdam y ahora las estoy abriendo.
Locutor: Es decir, que esto es todo lo que la gente se deja en los aeropuertos perdido, extraviado.
Rafa: Efectivamente. La gente lo extravía, lo pierde o lo olvida y luego voy yo al aeropuerto y lo compro. Después lo traigo a mi tienda y lo vendo.
Locutor: Pues nada. Vamos dentro de tu tienda y nos explicas cómo funciona.
Rafa: Muy bien.

Locutor: Vamos a ver, Rafa. Tú te has convertido en un experto en aprovechar todo lo que nosotros, la gente, se deja olvidado en los aeropuertos.
Rafa: Sí, sí.
Locutor: Explícanos cómo lo haces.
Rafa: Pues yo voy al aeropuerto. Normalmente yo voy al de Barajas, aquí en Madrid, y al de Ámsterdam. Verás, los aeropuertos normalmente, con los objetos perdidos, hacen unos lotes.
Locutor: Entiendo; o sea, que hacen unos conjuntos de cosas... ¿que tienen algo en común?
Rafa: Sí, exacto. Entonces tienes lotes de maletas, de chaquetas, de camisas, de objetos electrónicos...
Locutor: ¿Y cómo se vende esto?
Rafa: Pues con una subasta. Es decir, crean los lotes, por ejemplo, un lote de chaquetas. Y si te interesa comprar esas chaquetas, pues tienes que pujar.
Locutor: Es decir, ofrecer una cantidad de dinero.
Rafa: Exacto. Y el que ofrece más dinero, se queda con el lote.
Locutor: ¿Cada cuánto se hacen las subastas?

Rafa: En el aeropuerto de Madrid, cada seis meses; en el de Ámsterdam, cada dos o tres meses.

Locutor: ¿Y después qué haces?

Rafa: Pues traigo todo lo que he comprado a mi tienda y lo vendo.

Locutor: Pero lo vendes sin lavar ni nada.

Rafa: ¡No, hombre! Primero tengo que prepararlo. Si he comprado ropa, lavo la ropa; si son objetos electrónicos, los reparo si están rotos, etcétera.

Locutor: Muy bien. Una pregunta: ¿puedes comprar maletas cerradas?

Rafa: Sí, claro. Tú compras un lote con, por ejemplo, 30 maletas. Y el aeropuerto te da las maletas como las olvidaron allí. Luego, cuando vuelvo a mi tienda, las abro y descubro lo que tienen dentro.

Locutor: Es decir, que no sabes lo que hay dentro de la maleta.

Rafa: No. Cuando compras la maleta, siempre está cerrada. La compras y luego la abres. Y lo que encuentras es siempre una sorpresa.

Locutor: ¿Y qué encuentras normalmente en las maletas?

Rafa: Normalmente, ropa.

Locutor: ¿Y alguna vez te has encontrado cosas raras?

Rafa: Sí, a veces encuentro alguna cosa rara.

Locutor: ¿Por ejemplo?

Rafa: Pues una vez encontré una paellera.

Locutor: ¿Una paellera?

Rafa: Sí, alguien que quería hacer paellas en el extranjero, ja, ja, ja.

Locutor: ¿Y qué más cosas has encontrado?

Rafa: Lo típico: ropa, libros, comida...

Locutor: Y todo lo vendes.

Rafa: Todo lo vendo en mi tienda. Es una forma de reciclar y ganar dinero.

Locutor: Pues muy buena idea. Muchas gracias por atendernos, Rafa.

Rafa: Gracias a vosotros.

UNIDAD 4

7

1.
Bueno, no es que no me guste, pero me cansa tanta publicidad. En la calle hay publicidad en todas partes: en el metro, en los autobuses, en carteles, en las tiendas... ¡Y ahora incluso hay personas-anuncio!

2.
A mí me parece ingenioso: es estético, llama la atención y, sobre todo, ¡no molesta a nadie! Lo que no me gusta es que los famosos usen su imagen para anunciar productos. ¡Engañan a la gente, que confunde el producto con la imagen de una persona que les gusta y, encima, ellos ganan dinero!

3.
Yo creo que usar el cuerpo para hacer publicidad no está bien. Es más, creo que debería estar prohibido. Es denigrante. Además, solo la gente físicamente atractiva hace este tipo de publicidad. A los demás los discriminan.

4.
Me parece genial. Es llamativo, diferente y además, ecológico, porque el soporte es el cuerpo humano.

8

1.
A: Yo, en realidad es que soy un poco vago.
B: O sea, que lo de comprar no lo llevás muy bien.
A: No, es que no me gusta moverme de casa mucho. Soy muy casero. Prefiero comprar desde casa y que me traigan todo acá.

2.
A: ¿A ti, Claudio? ¿Te gusta ir de compras?
B: Uy, me encanta, pero es un peligro.
A: ¿Por qué? ¿Te compras muchas cosas? ¿O qué?
B: No, qué va. No es el hecho de comprar mucho, sino el hecho de que no pienso las cosas. Cuando algo me gusta, me lo compro. A veces no me pruebo la ropa. Me digo: "esto me va a quedar bien", y ya está, lo compro sin pensar.

3.
A: No, no. Yo no me fío de nadie. Internet está lleno de información falsa.
B: Pero entonces, ¿no te informas a la hora de comprar algo?
A: Depende, si voy a comprar, por ejemplo, un electrodoméstico, suelo ir a varios sitios para ver lo que puedo ahorrar, hablo con personas que conozco, miro algo de información por internet, leo los foros...
B: Vaya, ¡qué precavido!

4.
A: Tú, Joanna, con lo segura que eres en el trabajo, seguro que tienes muy claro qué quieres cuando vas a comprar algo, ¿no?
B: ¡Qué va, qué va! Fíjate que para eso soy muy insegura. Sobre todo cuando tengo que comprar ropa.
A: Quién lo diría.
B: Pues sí. No soy capaz de comprarme ni una camiseta si no tengo una segunda opinión. No sé, no me fío de mi propio criterio.

UNIDAD 5

9

Locutor: Bienvenidos a *Teleconcursazo*. Como cada día, en el concurso de hoy vamos a plantear ocho preguntas y vamos a dar a los concursantes varias opciones de respuesta. Hoy vamos a preguntar sobre África. Nuestros concursantes deben escuchar atentamente las preguntas y escribir en la cartulina la respuesta adecuada. El premio para el ganador será un viaje con todos los gastos pagados a África, donde podrá conocer Marruecos, Cabo Verde, Kenia y Sudáfrica.
Entonces, comenzamos. ¿Están listos?
Primera pregunta. ¿Cuántos habitantes tiene África: alrededor de mil millones, alrededor de quinientos millones o alrededor de doscientos millones?
Segunda pregunta. Digan si es verdadera o falsa esta afirmación: en África se hablan más de dos mil lenguas diferentes.
Tercera pregunta. ¿Qué país africano nunca ha sido una colonia de un país europeo: Marruecos, Etiopía o Egipto?
Cuarta pregunta. Digan si esta afirmación es verdadera o falsa: Egipto es el país africano con más pirámides.
Quinta pregunta. ¿Qué país africano tiene tres capitales: Marruecos, Kenia o Sudáfrica?
Sexta pregunta. Digan si es verdadera o falsa esta afirmación: se cree que el primer hombre tuvo su origen en África.
Séptima pregunta. ¿Cuántos países hay en total en África: 80, 54 o 24?
Octava pregunta. ¿Cuál es la ciudad más poblada de África: Nairobi, en Kenia; Johannesburgo, en Sudáfrica o El Cairo, en Egipto?

10

AUDIO 1 - Carina Morillo

Con esa palabra me convertí en entrenadora de miradas. Soy la mamá de Iván, de 15 años. Iván tiene autismo, no habla, y se comunica a través de un iPad donde está todo su universo de palabras en imágenes.
Recibimos su diagnóstico cuando tenía dos años y medio y todavía hoy me acuerdo de ese momento con mucho dolor. Con mi marido nos sentíamos muy perdidos. No sabíamos por dónde empezar. No había Internet como ahora, no se podía googlear información, así que esos primeros pasos fueron de pura intuición.
Iván no sostenía la mirada, había perdido las palabras que decía, no respondía a su nombre ni a nada que le pidiéramos, como si las palabras fueran ruidos. La única forma que yo tenía de saber lo que a él le pasaba, lo que él sentía, era mirándolo a los ojos. Pero ese puente estaba roto. ¿Cómo enseñarle la vida a Iván? Cuando yo hacía cosas que a él le gustaban, allí sí, me miraba; y estábamos juntos. Así que me dediqué a seguirlo en esas cosas, para que cada vez hubiera más y más momentos de miradas. Nos pasábamos horas y horas jugando a la mancha con su hermana mayor, Alexia, y en esa ronda de "¡Ay! ¡Que te atrapo!", nos buscaba con la mirada y yo allí, en ese momento, sentía que él estaba vivo.

AUDIO 2 - Jorge Ramos

Soy un periodista y soy un inmigrante. Y estas dos condiciones me definen. Nací en México, pero me he pasado más de la mitad de mi vida reportando en los Estados Unidos, un país creado precisamente por inmigrantes. Y como reportero, y como extranjero, he aprendido que la neutralidad, el silencio y el miedo no son las mejores opciones, ni para el periodismo ni para la vida. La neutralidad muchas veces es una excusa que usamos los periodistas para escondernos de nuestra verdadera responsabilidad.
Y ¿cuál es esa responsabilidad? Cuestionar y desafiar a los que tienen el poder. Para eso sirve el periodismo. Esa es la gran maravilla del periodismo: cuestionar y desafiar a los poderosos. Por supuesto que tenemos la obligación de reportar la realidad tal y como es, no como quisiéramos que fuera. En tal sentido, estoy de acuerdo en el principio de la objetividad; si una casa es azul, digo que es azul. Si hay un millón de desempleados, digo que hay un millón. Pero la neutralidad no necesariamente me va a llevar a la verdad. Aunque sea rigurosamente escrupuloso y yo les presente a ustedes las dos partes de una noticia, la demócrata y la republicana, liberal y conservador, el Gobierno y la oposición, al final, eso no me garantiza ni nos garantiza que vamos a saber qué es cierto y qué no es cierto. La vida es muchísimo más compleja y creo que el periodismo debe reflejar precisamente esa complejidad.

UNIDAD 6

11

Locutor: Buenas noches a todos y bienvenidos a *Red paranormal*, el programa de radio que te trae los misterios que encontramos en la Red. Hoy vamos a escuchar dos historias inquietantes. Pero ¿son solo leyendas urbanas o son realidad? Vamos con la primera de estas historias.

Mujer: Es un ser antropomórfico, es decir, que tiene forma más o menos humana, de entre dos y cuatro metros de largo. Sus extremidades son largas y su rostro es una máscara pálida sin facciones, sin ojos, sin orejas, sin boca. En la espalda esconde seis tentáculos con los que ataca a sus víctimas. Se puede volver invisible y, por eso, muy pocas veces ha podido ser fotografiado o grabado en vídeo. Se mueve en las sombras y acecha a niños y adolescentes. Lo terrible es que, en ocasiones, algunos niños se ponen a su servicio y se convierten en asesinos.

Locutor: ¡Qué miedo! ¿Verdad? Vamos ahora con la segunda historia

Hombre: Los jugadores hacían fila para poder acceder a las máquinas. Rápidamente, comenzaron a darse cuenta de que el juego estaba lleno de mensajes subliminales. No solo eso, los jóvenes que jugaban en aquellas máquinas se volvían adictos en muy pocos días. Los mensajes que se leían en las pantallas parecían tener como objetivo acabar con la creatividad, la iniciativa y la rebeldía de los jugadores. Pero algunos dicen que había mensajes aún más peligrosos y que incitaban al suicidio.

Locutor: Increíble, ¿verdad? ¿Y qué opinas tú? ¿Crees que estas historias son leyendas urbanas o realidad?

12

AUDIO 1

Marisa: Creo que la gente tiene muchas ideas preconcebidas sobre el teletrabajo. Una de las más extendidas es que desde casa no se trabaja. Mucha gente dice "Qué bien, si no está mirando el jefe, no trabajarás mucho".

Marcos: Bueno, pero es cierto que tienes más tiempo libre si no hay nadie controlando, ¿no?

Marisa: ¿Más tiempo libre? Yo, la mayoría de los días trabajo más horas de las que debo.

Marcos: ¿Y cómo es eso?

Marisa: Pues mira. Yo me dedico a la comunicación digital y uno de los problemas es que cada cliente piensa que solo trabajas para él o ella y, como te llaman al móvil, lo hacen a cualquier hora y te fastidian todos los horarios y tus planes de trabajo.

Marcos: Pero tú no tienes lunes, por ejemplo.

Marisa: Sí, bueno, no existe la misma sensación de lunes porque estás en casa, pero tampoco

tengo la misma sensación de viernes. Para mí todos los días son más parecidos y eso puede llegar a ser un poco pesado en ocasiones.

Marcos: Pero ¿y lo positivo?

Marisa: Hay muchos aspectos positivos, claro. El principal, para mí, es que puedo organizar mejor mi vida profesional, social y familiar. Tengo dos hijos y, claro, trabajar desde casa me permite que pueda llevarlos al cole, recogerlos, comer con ellos... y muchas veces, me puedo ir al parque y pasar una hora jugando con ellos.

Marcos: No sé. Yo creo que no podría trabajar desde casa. Soy muy desorganizado. Yo necesito tener una obligación fuera de casa.

Marisa: Eso, desde luego. Si quieres trabajar desde casa, tienes que marcarte una rutina y un horario de trabajo y seguirlo.

Marcos: Pues yo no podría. No soy un buen jefe para mí mismo, ja, ja, ja, necesito que alguien me dé la rutina.

13

AUDIO 2

Yolanda: Yo es que no me puedo imaginar pasar todo el día en casa.

Héctor: Sí, a veces puede ser un poco duro.

Yolanda: A mí me gusta ver a gente cada día. Hablar, aunque sea un par de minutos con alguien. No me imagino hacer la pausa del café y no poder hablar con nadie.

Héctor: Es cierto. Pero, por otro lado, lo bueno de estar en casa es que no tenés que hablar con nadie que no quieras. Ya sabés lo que dicen, más vale solo que mal acompañado.

Yolanda: Ya, pero no sé. Me parece un poco solitario y triste trabajar desde casa.

Héctor: A mí me parece más triste y solitario pasarse tantas horas en el coche o en el transporte público para ir a trabajar.

Yolanda: Eso depende de cada persona. Yo, por ejemplo, que voy a trabajar en tren, esa hora de transporte la aprovecho para leer o para mirar cosas por Internet que me interesan, comprar ropa, mirar cosas para hacer el fin de semana con mi novio...

Héctor: Eso está bien, pero pasar tantas horas en el transporte público produce mucho estrés.

Yolanda: Sí, eso es cierto. El transporte causa bastante estrés. Pero trabajar solo desde casa te hace estar un poco aislado.

Héctor: Sí, un poco. Es verdad que uno puede tener la sensación de que no pertenece a un grupo, de que no trabaja para ninguna empresa. Pero también es verdad que, si quiero, puedo trabajar desde la playa o desde cualquier otro sitio.

Yolanda: ¡Uf! ¿Pero eso no es un poco peligroso?

Héctor: ¿Qué querés decir?

Yolanda: Si te acostumbrás a que podés trabajar en cualquier lugar y momento, a lo mejor hace que trabajes todo el tiempo y no tengas vacaciones.

Héctor: Sí, es uno de los problemas de trabajar desde casa. Hay personas que no consiguen desconectar. El peligro es no saber diferenciar tu vida privada de tu vida laboral. A mí eso no me pasa... de momento.

Yolanda: Bueno, pues espero que sigas así...

UNIDAD 7

14

1.

El Festival del Gato, también conocido como "La Miaustura" o "Curruñao" es un encuentro religioso y gastronómico que se lleva a cabo a finales de septiembre en el pueblo de La Quebrada, en el sur de Perú. Cada 21 de septiembre se inician estas actividades religiosas. De acuerdo con los llamados "chefs gatunos", estos crían a los gatos en jaulas durante un año y cuando llega la fecha del festival los matan, los cocinan y los comen en una gran fiesta.

2.

Los encierros en honor a san Fermín se celebran en verano en Pamplona, España. Consisten en un recorrido de unos 900 metros en el que centenares de personas corren delante de los seis toros que, posteriormente, esa tarde, serán lidiados y morirán a manos del torero en la plaza de toros. Los encierros tienen lugar todos los días entre el 7 y el 14 de julio, y comienzan a las ocho de la mañana, con una duración media de entre dos y tres minutos.

3.

El Campeonato de Transporte de Esposas es un campeonato que tiene lugar en Finlandia el 18 y 19 de agosto. Los participantes transportan a sus esposas en la espalda en una carrera de relevos. Gane quien gane, se recibe como recompensa el peso de la mujer en cerveza.

4.

El Thaipusam es un festival originario de India, y se celebra en enero o febrero, en varias regiones de Malasia, Singapur o Sri Lanka. Consiste en una peregrinación hasta las cuevas Batu para asistir a la procesión en honor del dios Muruga o Kartikeya.

15

1.

A mí el Festival del Gato no me parece tan horrible. Si se pueden comer cerdos, vacas, pollos..., ¿por qué no se puede comer gatos? Son animales también, ¿no?

2.

Solo se habla de lo terribles que son las corridas de toros, pero en mi opinión los encierros de toros también son muy crueles. Los toros sienten miedo al correr perseguidos, ya que a veces les pegan con palos o periódicos. Es un sufrimiento psicológico. Además, a veces se rompen las patas o los cuernos en las curvas.

3.

Me parece un campeonato un poco machista. Los hombres fuertes y duros tienen que llevar a sus mujeres débiles en brazos en una carrera. Todo para conseguir el peso de su mujer en cerveza. Es una forma de tratar a las mujeres como cosas. Me parece patético.

4.

Hay personas que pueden pensar que es una salvajada atravesar tu cuerpo con alfileres o barras de hierro, pero los participantes lo hacen después de prepararse para ello y siempre con fines religiosos. Ellos dicen que no sienten dolor. Es una manera de demostrar su fe y el poder de la mente humana. Creo que es fascinante.

16

Locutora: Hola. Muchas gracias por colaborar en mi investigación. A continuación, te voy a hacer una serie de preguntas. Quiero que escribas las respuestas en tu cuaderno.
Primera pregunta. ¿Con qué sentido asocias la palabra *guerra*?
Segunda pregunta. Imagina que tienes delante una flor muy bonita. ¿Qué quieres hacer? ¿Quieres tocarla o quieres olerla?
Tercera pregunta. Piensa en tu país ¿Con qué sentido asocias tu país?
Cuarta pregunta. Imagina que tienes delante a la persona que amas. ¿Qué quieres hacer? ¿Quieres hablarle o quieres mirarla?
Quinta pregunta. ¿Con qué sentido asocias el mar?
Sexta pregunta. Imagina que estás delante de ti cuando tenías 6 años. ¿Qué quieres hacer? ¿Quieres abrazar o quieres escuchar a ese niño o niña?
Séptima pregunta. ¿Con qué sentido asocias estudiar español?
Octava pregunta. Imagina que tienes delante a tu mejor amigo o amiga. ¿Qué quieres hacer?

¿Quieres hablar o quieres escuchar a esa persona?
Novena pregunta. ¿Con qué sentido asocias un libro?
Y décima y última pregunta. ¿A qué crees que huelen las nubes?

UNIDAD 8

Locutor: Hoy vamos a preguntar a varios alumnos extranjeros que estudian en nuestra universidad cómo se las arreglan con el español. Escuchemos qué nos cuentan.

Locutor: ¡Hola! ¿Cómo te llamas y cuál es tu nacionalidad?
Jana: ¡Hola! Me llamo Jana y soy alemana.
Locutor: A ver, Jana, cuéntanos. ¿Qué problema o situaciones difíciles has tenido con la lengua española?
Jana: Principalmente, mi problema es en clase de Español. No tenemos una clase específica de gramática. Siempre estamos hablando y practicando de forma muy interactiva y comunicativa, lo cual está muy bien, pero me gustaría una clase más gramatical, analizando oraciones y esas cosas.
Locutor: Muy bien, Jana. Gracias.

Locutor: ¡Hola! ¿De dónde eres?
Simon: De Francia.
Locutor: ¿Y tu nombre?
Simon: Simon.
Locutor: Dinos, Simon. ¿Qué es lo más difícil para ti en tu relación con la lengua española?
Simon: Bueno. La barrera de la lengua es muy importante. Cuando llegué a la universidad, no hablaba muy bien español y además soy muy tímido. Me cuesta mucho hablar con españoles porque siempre pienso que no me van a entender. Entonces me pongo muy, muy nervioso y no hablo.
Locutor: De acuerdo. Muchas gracias.

Locutor: ¡Hola!
Emma: ¡Hola!
Locutor: Dinos cómo te llamas y de dónde eres.
Emma: Me llamo Emma y soy italiana.
Locutor: Muy bien, Emma. Aquí en la universidad, ¿qué es lo que más te cuesta a la hora de comunicarte en español?
Emma: Mi principal problema es que no tengo mucho tiempo para estudiar español, ya que, además de estudiar en la universidad, tengo que trabajar por las tardes. Así que, como no estudio,

cometo algunos errores e incorrecciones cuando uso el español. Esto es un problema porque en la universidad me exigen un español correcto para hacer trabajos o exámenes.
Locutor: Pues muchas gracias.

Locutor: Buenos días, amigos y amigas oyentes, y bienvenidos una semana más a nuestro programa *Vaya mañanita*.
¿Nos pueden ayudar las nuevas tecnologías a ser más inteligentes? ¿Realidad o ciencia ficción? Hoy vamos a escuchar algunas noticias que nos hablan de estos temas. ¡Adelante!
Locutora: Jugar al Tetris 30 minutos al día durante 3 meses puede ayudar a aumentar el tamaño de la corteza cerebral; los juegos en 3D incrementan un 12 % más las capacidades de memoria que los de 2D. Pero eso no es todo: en la actualidad, juegos como Minecraft están siendo utilizados en las aulas con el objetivo de desarrollar la capacidad creativa de los más pequeños. Esto es al menos lo que dicen los últimos estudios científicos al respecto. ¿Aprenderemos más en el futuro jugando con máquinas que estudiando con libros?
Locutor: Un equipo internacional de científicos ha creado un programa informático para ayudar a curar la depresión. Se trata de una terapia basada en la realidad virtual en la que el paciente entra en un escenario muy similar a la realidad, en el que tiene que consolar durante 8 minutos a un niño que está llorando. Después el niño deja de llorar y se intercambian los papeles, el niño se convierte en adulto y el paciente, en niño. Según los primeros datos del estudio, la mayoría de los pacientes responden positivamente a estas terapias virtuales.
Locutora: A pesar de que esta herramienta tecnológica todavía no es habitual en nuestras aulas, profesores y especialistas en educación afirman que las impresoras 3D pueden aportar enormes beneficios al aprendizaje y ayudar de manera muy significativa a los profesores de diferentes materias. ¿Su utilidad? En primer lugar, la posibilidad de materializar en un objeto real algunos conceptos y explicaciones estudiadas en clase. Por ejemplo, en clase de anatomía, con una impresora 3D podemos imprimir cualquier parte u órgano del cuerpo, como por ejemplo, un corazón para, así, entender mejor su forma y su funcionamiento.
Locutor: Pues ya ven, amigos, el futuro ya está aquí. ¿Se harán reales y habituales estos avances? Solo el tiempo lo dirá. Seguimos. No se vayan. Volvemos después de la publicidad.

UNIDAD 1

P. 16, ACTIVIDAD 6

B

Noticia 1: seguridad
Noticia 2: educación
Noticia 3: salud
Noticia 4: consumo
Noticia 5: redes sociales

P. 19, ACTIVIDAD 12

B

Tema 1	cómo prepara la universidad para el mercado laboral y la relación de la universidad con las empresas privadas
Tema 2	el día a día de la universidad, cómo se relacionan los estudiantes entre ellos y cómo ven la universidad como una experiencia de vida
Tema 3	denunciar los asuntos que no están bien dentro de la universidad, sobre todo la diferencia entre hombres y mujeres
Tema 4	hablar de los estudiantes extranjeros, de su experiencia en la universidad

UNIDAD 2

P. 24, ACTIVIDAD 5

A

Elisa tiene una actitud: **constructiva, responsable, generosa**

Nico tiene una actitud: **destructiva, preocupada, irresponsable, egoísta**

B
Nico
2, 4, 5, 9, 10

Elisa
1, 3, 6, 7, 8, 11, 12

P. 27, ACTIVIDAD 7

B

Recíclame y recíclate	Sirve para aprender a reciclar. Leyendo el código de barras, la aplicación indica en qué tipo de contenedor se debe depositar cada residuo.
Camino seguro al cole	Es una app para ayudar a los padres a escoger el mejor recorrido, el más seguro, para ir con sus hijos al colegio andando.
Mapa verde de Madrid	Muestra informaciones sobre zonas verdes, puntos de reciclaje, puntos de recarga de vehículos eléctricos y de suministro de combustibles ecológicos y rutas para bicicleta.

UNIDAD 3

P. 40, ACTIVIDAD 6

B

Posibles respuestas
Persona 1
a. No.
b. Ojalá la gente como esta persona se informara más antes de comprar.

Persona 2
a. Sí.
b. Espero que aprenda más maneras de reutilizar y reciclar.

Persona 3
a. No.
b. Ojalá se concienciara del impacto enorme del consumo de carne en el medioambiente.

Persona 4
a. No.
b. Espero que la gente como esta persona aprenda a no tirar las cosas que todavía se pueden arreglar y que entienda la importancia del reciclaje.

UNIDAD 4

P. 52, ACTIVIDAD 6

B

1. audio 3
2. audio 2
3. audio 4
4. audio 1

P. 54, ACTIVIDAD 11

A

1. Conversación 4
2. Conversación 1
3. Conversación 2
4. Conversación 3

UNIDAD 5

P. 61, ACTIVIDAD 5

A

Vamos a escuchar un cuestionario de cultura general sobre África.

B

1. Alrededor de mil millones.
2. Verdadera.
3. Etiopía.
4. Falsa.
5. Sudáfrica.
6. Verdadera.
7. 54.
8. El Cairo, en Egipto.

UNIDAD 6

P. 72, ACTIVIDAD 4

C

Texto 1
El ser antropomórfico es un mito. Nunca ha sido fotografiado o grabado en vídeo. Pero realmente dos niñas se pusieron al servicio del mito y se convirtieron en asesinas.

Texto 2
Los jugadores se volvían adictos enseguida, no hacían falta unos días. Todas las otras informaciones que se dan en el audio son reales.

P. 75, ACTIVIDAD 8

D

AUDIO 1: Marisa
AUDIO 2: Héctor

E

Marisa: 2, 5
Marcos: 4
Yolanda: 3, 6
Héctor: 1, 7, 8

UNIDAD 7

P. 81, ACTIVIDAD 3

C

Posibles respuestas

Festival del Gato o Miaustura	Los gatos son animales como otros.
Encierros de San Fermín	Lo encierros de toros son un terrible sufrimiento para los toros.
Campeonato de Transporte de Esposas	El Campeonato mundial de transporte de esposas es machista y patético.
Thaipusam	Es fascinante ver el poder de la mente humana a la hora de demonstrar su fe.

UNIDAD 8

P. 95, ACTIVIDAD 8

B

Jana
En clase de Español no se dedica bastante tiempo a la gramática. Le gustaría una clase más gramatical.

Simon
Es muy tímido y le cuesta mucho hablar con españoles porque siempre piensa que no le van a entender.

COMPRENSIÓN AUDITIVA SOLUCIONES

Emma
No tiene mucho tiempo para estudiar español y, como no estudia, comete algunos errores e incorrecciones.

P. 97, ACTIVIDAD 10

B
1. C
2. B
3. A

C

Posibles respuestas

¿Aumentar las capacidades intelectuales a través de los videojuegos?

Recientes estudios científicos dicen que algunos videojuegos 3D, como Minecraft y Tetris, pueden incrementar las capacidades de memoria y están siendo utilizados en las aulas con el objetivo de desarrollar la capacidad creativa de los más pequeños.

Realidad virtual: nueva terapia para las enfermedades mentales

Un equipo internacional de científicos está experimentando una terapia contra la depresión basada en la realidad virtual: el paciente entra en un escenario muy similar a la realidad, en el que tiene que consolar durante 8 minutos a un niño que está llorando. Después el niño deja de llorar y se intercambian los papeles.

Impresoras 3D: el futuro de las aulas

Las impresoras 3D pueden aportar beneficios al aprendizaje y ayudar a los profesores de diferentes materias. De hecho, permiten materializar en un objeto real algunos conceptos y explicaciones estudiados en clase. Por ejemplo, en clase de Anatomía, con una impresora 3D podemos imprimir cualquier parte u órgano del cuerpo, para así entender mejor su forma y su funcionamiento.